KB103151

쓰니...

응

쓰다.

쓰니… 응 쓰다.

발 행 | 2024년 07월 30일

저 자 | 김순미

펴낸이 | 한건희

펴낸곳 | 주식회사 부크크

출판사등록 | 2014.07.15(제2014-16호)

주 소 | 서울특별시 금천구 가산디지털1로 119 SK트윈타워 A동 305호

전 화 | 1670-8316

이메일 | info@bookk.co.kr

ISBN | 979-11-410-9823-0

www.bookk.co.kr

쓰니

응

쓰다.

세상은 나를 원하지 않는다.

과거

안정

각자의 자리

불타는 금요일

바래지다

의문점

귀담아듣는다.

겨울

눈

생각의 꼬리

행복하고 싶어서

행복을 주는 사람

각자의 삶

나

세월의 나이

추억

둥글게 살자

가을볕

못난 사람

쓸쓸함을 알다

나를 사랑해 줄 때

실수

감정

어쩔 수 없는 일

체념

나로 하여금

형이 되었다

환생한다해도

아이의 시선

추억 (과거

자식은 나의 거울

화

그러려니

나의 스승

소중히 하자

말의 무게

나를 놓다

차이

바램

너에게 배워

 그것이 엄마이다

추억이 될 터

육아

엄마의 생각

녹음 짙은 산

담아본다

사랑하는 자의 컵

자두 씨는 먹으면 큰일

나 자신한테 먼저

조용하다 섬뜩하다

눈물

진실

어른이 되어가는 것

하루

그리움

나에게 있어

커피 한잔의 여유

시작하며...

오락가락한 날씨에 딱인 것 같아요.
무던 하면서도 소소한 일상,
인생 이야기,
짧은 글 또는 짧은 시를 썼어요.
다시 한번 더 생각하게 만드는 글들 …이었으면 해요.
처음 책을 만들었는데 너무 즐겁더라고요.
저의 첫 종이 책
저의 마음이 들어있어요.
이게 뭐야? 이게 글이야! 시야?
하시는 분 들이 많을 듯해요.
저만의 생각이나 느낀 점 또한 글이 되었으니 평범하기
도 이상하기도 하지요 너그럽게 봐주셨으면 해요.
처음 책은 이 책으로 …
글을 좋아하고 쓰는 것을 좋아하고 생각하는 것은 좋아
하는 아직은 새싹 …
큰마음 먹고 종이 책을 내보았습니다.

과거 사람?

과거 인이 현재 진행형 인이 되려고 노력한다.

과거에 붙잡혀 있지 않으려 노력한다.

난 과거 사람…

온전한 과거 사람

층간 소음

공동주택에서는, 윗집의 바닥이 곧,

아랫집의 천장이므로...

필요 없는 층간 소음 매트리스

밖에서 아무리 뛰어놀구, 소리지르며, 놀아도 집에

들어오면 또 하는데 어찌 해야 한단 말인가

가슴만 시커멓게 타들어 가고

목소리는 걸걸해지며

여자인 난 아저씨가 되어가네

아~...

돈이 없는게 문제로구나

속단

너무 어둡고 깊으며 차갑고 세계를 알 수 없는 말
판단이 어렵고 갈피를 잡을 수 없다.
한발짝 뒤로 물러나면 비로소 보이려나.
나에게 죽음이란...
삶이란...
일생이란 ...
그리고 인생이란
그저 그런 하찮은 것이 아닐 텐데
그래서 속단 할 수가 없다.

후회

마음 한구석에서

찌릿! 아파와

후회는 이렇게 오더라고

그냥 이라는 말엔

그냥 이라는 말엔 수 많은 생각과
말하지 못하는 모든 것이 들어 있다.

바람이 분다

바람이 소리 내며 분다
너 또한 존재함을 소리 냈었구나 ...

그 순간 그때가 지난

반성을 한다 해서
상처 준 그때,
그 순간을 지울 수는 없다.

의미 없다.

내가 지키고자 했던 것들이 무너졌을 때,
비로써 의미 없는지를 깨닫는다

마스크

자연스럽지 말아야 할 것이 자연스러워졌다.

어쩌면 바보 일지도

좋게 생각하고 좋게 보는 것이
좋은 것만은 아니다.

아들에게

나보다는 잘 살길 바라
고통을 덜 겪길 바라
가방 끈이 길길 바래,
나보다는 …
내가 아닌 너인데 괜한 걱정이었나 봐
넌 너 대로 힘껏 잘 살길 바라!

열등감

누구나가 다 가지고 있다.
없다고 하는 사람들은
아직 겪지 못한 거겠지...

글 솜씨

지금의 심정
글로 찍어내고 싶지만,
글 솜씨가 없다.

돌아 오지 않는다.

왜 그러지 못했을까!
백 번 생각해도
과거는 돌아오지 않는다.

무력하다

자신의 무력함을 느낀다.

어른이 되면

어른이 되면
뭐든 될 거 같고
무엇이든
할 수 있을 것 같았다

어른이 되니
할 수 있는 일이
많지 않고
참아야 하는 일들이 더 많았다.

강요

아이에게 나의 세계관을 강요하지 말자.

나도 인간이다

나는 그저 그런 인간이다 .

세상은 나를 원하지 않는다.

세상은 나를 원하지 않는다
다만,
내가 살아가길 원한다

과거

피하고 싶은 순간순간들
후회로 물들어 빠지지 않는 색감,
얼룩져 지워지지 않는 열등감,
과거에서 나는 아직 머물러 있다.

안정

너를 안고 있으면 나의 마음이 안정돼

각자의 자리

각자의 자리에서 고군분투 중이다.

불타는 금요일

오늘이　알았다
굉장히 기분　좋게 오전을 보냈다.
아,　생각에 따라
기분이 바뀌는구나...

바래지다

추억이 바래지는 것처럼
오래된 앨범 속 사진들도 하얗게 바래져 있더라

해그해그

의문점

이렇게 하루 종일 아이들과
실랑이하고 몸이 힘든데,
왜 살은 안 빠질까?
의문점투성이다!

귀담아듣는다.

말을 했을 때
귀담아 잘 듣는
사람한테
속에 있는 마음도 말한다.

겨울

햇빛 쨍쨍하다 느껴,

밖으로 나갔더니,

겨울은 겨울이더라

나간 거에 후회 했네

추위는 살 속으로 들어와

뼈를 에워싸더라

굉장함의 추위를 새삼 알아버렸네

눈

조금만 있으면 눈이 내리겠지
포근한 눈이 내려,
푹신하게 길 위를 덮어 버리겠지...
악마의 똥 가루는 매년 이렇게 다가온다.

해그해그

생각의 꼬리

생각에 생각의 꼬리가 생겨
잠을 이루지 못한다.

행복하고 싶어서

나에게 물어본다.
오늘은
행복하니?

행복해서 사는 것이 아니다
행복하고 싶어서 살아 보는 것이다

해그해그

행복을 주는 사람

행복한 기운을 가진 사람을 만나면
오늘만 행복한 것이 아니라
내일까지도 그 행복이 남아있다.

각자의 삶

멀어지는 것이 아니라
각자의 삶을 사는 것이다.

해그해그

나

세상에서 내 거는 없더라
하지만,
딱 한가지
나 자신은 오롯이 내 거이더라

세월의 나이

세월이 아이들 키만큼 자랐다.

나 또한

돌아가신 아빠의 나이 때가 되었다.

추억

소진된 모든 추억을 꽉 채운다.

둥글게 살자

둥글둥글하게 살자
모나면 나만 아프다

해그해그

가을볕

가을볕이 굉장히 곱다.

무심코 있다 보면
기미, 주근깨 생긴다.

못난 사람

난 못난 사람이라 생각했다
이제야 알게 되었다
못난 사람은 없다!
못난 생각이 있을 뿐이다.

쓸쓸함을 알다

하굣길의 텅텅 빈 운동장
그 가운데에 혼자인 나...

그렇게 처음 쓸쓸함을 알았다.

나를 사랑해 줄 때

내가 나를 사랑해 줄 때,
남들도 나를 사랑해준다.

실수

말을 적게 해야 실수를 덜 한다.

해그해그

감정

쓸데없는 감정들을 뿌리째 뽑고 싶다.

해그해그

어쩔 수 없는 일

어쩔 수 없는 일도 있다
인생은 어쩔 수 없는 일들이 더 많다
씁쓸하지만,
현실이다.

체념

체념도 강함이다.

나로 하여금

나의 말로 아이의 인생이 바뀔 수 있다.
나의 행동으로 아이의 인성이 바뀔 수 있다.
나로 인해 아이는 하루가 지옥 아니면,
천국을 다녀오기도 한다.

형이 되었다

너 또한 형이 되었으니 힘들지
처음 겪어보는 마음일 테지...
하고 혼잣말을 하며 아들을 봤다
첫째가 ...
말이 무슨 뜻인지 몰랐을 테지만...
'끄떡 끄떡'
하고 있었다.

환생한다해도

환생이 있다면...

나는 그때도 너희들의 엄마로 태어나고 싶다.

아이의 시선

아이는 아이만의
생각과 마음이 있다
아이의 시선에서 모든 것을 보자
어른의 시선에서 보지 말자.

추억(과거)

가슴언저리가 서늘하게 저리는
이유는 다시는 돌아갈 수 없기때문이다.

해그해그

자식은 나의 거울

한숨 뿐...

"어휴"

아들이 저만치서

"어휴!"

한숨 쉰다

아차차!!

난 또

아들에게

안좋은 습관을 알려주었네 ㅜㅜ

화

용광로가 치솟듯이 부글부글,
마음속 어딘가에
꽉꽉 들어차,
나를 좀먹어 병들게 하고 있다.

그러려니

그러려니 하자

그게 제일 힘들다

무시하자

.

그게 제일 힘들다

나의 스승

나의 스승 아들들...
항상 배우게 되네
이렇게 나는 어른이 되어간다.

소중히 하자

곁에 있을 때는 그 소중함을 잊는다,
곁에 있을 때 충분히 소중히 하자

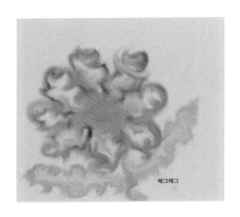

말의 무게

생각을 거쳐서 나와도 담을 수 없는 것이 "말"이다
쉽게 내뱉는 말은
그 무게로 한사람을 짓누르고 병들게 한다
세 치 혀일수록 말을 무겁게 써야한다

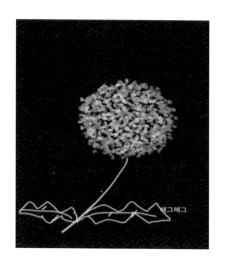

나를 놓다

나를 잠시 내려 놓으니
만사 다 편해지더라
아들내미도 떼를 안쓰더라.

그게 정답 이었네...

차이

생각의 차이,
다름의 차이
시시때때로,
사람은 차이를
잊어버린다.

바램

아무것도 할 수 없었다
그래서,
하지 않았다.

너에게 배워

쪽쪽이 빠는 소리에

설렘을 배워

아파서 우는 울음에

가슴 찢어지는 슬픔을 배워

새근새근 자는 너의 숨소리에

안도감을 배워

어려도 남자는 남자구나! 성별을 배워

가끔씩 가운데 손가락이

올라갈 때가 있지만 너니까

괜찮아 배려를 배워

볼에, 살에 부비부비하면 비단이

이런 느낌일까 감촉을 배워

아무 말이 없지만 너의 눈은 많은 것을

얘기하고 있다는 것을 엄마의 예감을 배워

백 일 동안 밤중수유하다 백일의 기적을 배워

너가 입술을 모아서

침을 뱉듯 부부 부하 면 비가 온다는

것을 날씨를 배워

살포시 어깨에 기대어 부악 토를 하면

나의 후각이 잘 있는지를 배워

오늘도 사랑하는 법을 배우고있어

하루에도 수십 번 참을 인을 알려주는 것이 넌

나의 참된 선생님

그것이 엄마이다

나 자신이 아니게 된다
이름이 없어진다
하루가 내 거가 아니게 된다
그러나,
나 자신이 행복해진다.
다른 이름이 생긴다
하루가 또 다른 내 거가 된다
그것이 엄마이다.

추억이 될 터

지금의 힘듦이
추억으로 기억되는 날이
있을 터이니...

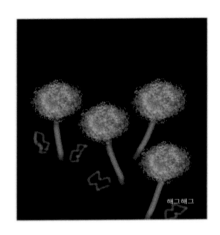

육아

육아
그 무게를 견뎌라.

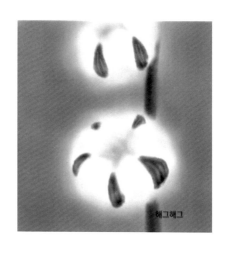

엄마의 생각

아무것도 하기 싫은 날이 있다

하기 싫으면 안하면 되지, 하겠지만

세상은 그리 녹록지만은 않다

몸이 아파 힘들어도 일어나 오늘을 살아야하니...

노래가사처럼 부모는 거름이 된다는데

오늘 하루도 거름이 되려고 한다

내가 선택한 삶이니 힘듦도 참아야 한다지만

이리 힘듦이 클 줄은 몰랐다

그래도 포기란 없다

난 엄마이니까 ...

녹음 짙은 산

녹음 짙은 산 너머 바라보다
마음을 빼앗겨 버렸네!
저 산 너머 빼앗겨 버린 마음 찾아
눈길로 좇아갔지만,
마음 찾지 못하고,
눈길조차 산 너머에 놓고 왔네

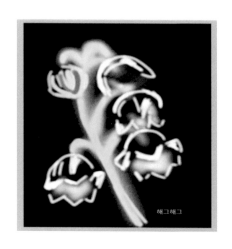

담아본다

포말 소리,

마음에 담아본다

소중한 사람과 보내는

이 시간을 ,

가슴에 담담히 담아본다.

사랑하는 자의 컵

아침에 물 먹다 놓은 머그잔
내 것이 아닌 저 컵,
오늘도 깨끗이 씻어 놓는다
어쩌면 아무도 신경 쓰지 않을
나의 행동,
나만이 생각하는
작은 사랑표현이다.

자두 씨는 먹으면 큰일

자두 씨 그놈이 문제였더라
심장을 들었다 놨다
기운이 쭉 빠졌네
자두 씨 그놈은 똥으로 잘 나오는지 잘 보라더라
배우고 공부해도 부족한 건 육아!!!

나 자신한테 먼저

친구가 하는말:
나 자신한테 먼저 착해지라고~
그래 우선
나한테 먼저 착해지자

조용하다 섬뜩하다

아이가 어딘가에서 조용하다 싶으면
무엇인가 중대한 일이 일어났다는 것,
상상하지 못한 것을 볼지도 모른다

눈물

눈물 좀 줄래!

눈물을 좀 흘려야 하겠어

진실

의심으로 자신의 눈을 감아버린다면,

진실은 안 보인다.

어른이 되어가는 것

어른이 되어간다는 건
두려움을 알아가는 것인가 보다

하루

똑같은 표정과 행동으로
일관하는 아침의 차가운 공기와
조용히 아무것도 없는 듯,
무로 흘러가는 점심과
어둠이 마치 자기 집인 양,
찾아오는 서늘한 밤하늘이
나에게 찾아오는 하루라는 시간이다

그리움

미치게 그리울 때가 언제인지 아니?!
꿈속에서 그리운 이를 만났을 때,
그런데 현실에 없는 사람일 때야~

나에게 있어

나에게 있어
너희들은 너무 너무 소중하고,
고마운 존재야

나에게 있어
너희들은 나를 살게 하는 존재야

지금은
너희들이 없다는 것마저도,
상상 할 수 없게 되었어

나에게 있어
너희들은 세상을 살아가게 하는 공기와도 같아
이런 값진 마음을 선물해준
나의 예쁜 두 아들들
사랑해 그리고 고마워...

커피 한잔의 여유

커피 한잔의 여유
여유 만들기가 쉽지가 않다

엄마가 되고 나서
여유라는 시간을 주는 것이
굉장한 감동으로 몰려올 때가 있다
그래!
이런 시간도 있었지
아~달다